Carlos Pascual

Sybil G Scott
Granada
KU-097-515

GRANADA
Y LA ALHAMBRA

95 Ilustraciones en colores

BONECHI

LA ALHAMBRA

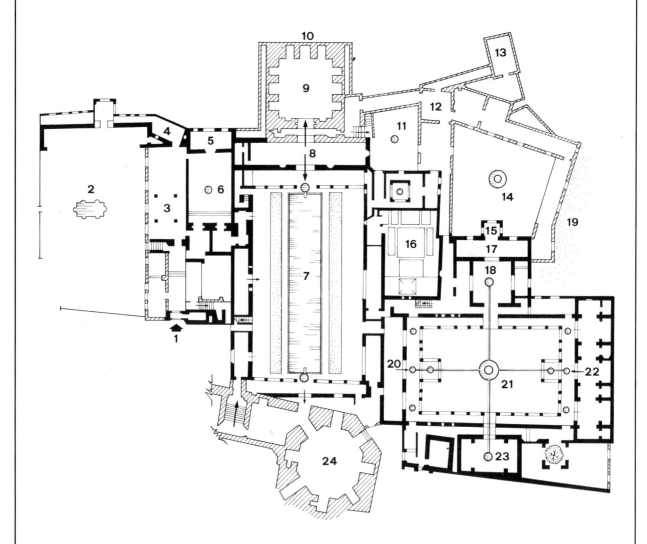

1 - Entrada
2 - Patio de Machuca
3 - Sala del Mexuar
4 - Oratorio del Mexuar
5 - Cuarto Dorado
6 - Patio del Mexuar
7 - Patio de los Arrayanes
8 - Sala de la Barca

9 - Salón de Embajadores
10 - Torre de Comares
11 - Patio de la Reja
12 - Departamentos de Carlos V
13 - Peinador de la Reina
14 - Patio de Lindaraja
15 - Mirador de Lindaraja
16 - Sala de Baños

17 - Sala de los Ajimeces
18 - Sala de las Dos Hermanas
19 - Jardines del Partal
20 - Sala de los Mocárabes
21 - Patio de los Leones
22 - Sala de los Reyes
23 - Sala de los Abencerrajes
24 - Palacio de Carlos V

© by Casa Editrice Bonechi - Via Cairoli 18/b - 50131 Florencia, Italia - Tel. +39 55 576841 - Fax +39 55 5000766
E-mail: bonechi@bonechi.it - Internet: www.bonechi.it
Obra colectiva. Todos los derechos reservados. Prohibida la reproducción total o parcial.
Impreso en Italia por el Centro Stampa Editoriale Bonechi.
La cubierta y la disposición general de este trabajo han sido realizados por los gráficos de la Editorial Bonechi; por consiguiente, están protegidos
por el copyright internacional y, en lo que a Italia respecta, en base al art. 102 de la ley nº 633 de derechos de autor.
Fotografías: Luigi Di Giovine
ISBN 88-7009-562-2

La imponente mole de la Alhambra se recorta sobre las cercanos montes de Sierra Nevada.

INTRODUCCION

Cuando el poeta andaluz Manuel Machado quiso definir a Granada en cuatro palabras, eligió las siguientes: «agua oculta que llora». En efecto, lo que resulta más sorpendente de esta provincia andaluza, recostada entre las cumbres más elevadas de la Península y el litoral, es esa proximidad de la nieve y el mar. Es casi un tópico la sorpresa de los turistas que, allá por la primavera, esquían por la mañana en las pistas de la Sierra Nevada y se bañan por la tarde en las tibias playas de Motril, Salobreña o Almuñécar. El agua es como el alma de Granada, que se filtra en las altas cimas de la sierra, empapa como una savia su geografía y reaparece generosamente en regatos, fuentes, riachuelos o acequias. Granada fue el último reducto árabe en España; cuando ya toda la Península era de nuevo cristiana, los últimos nazaritas acompañaban el esplendor imaginativo y barroco de sus arquitecturas con el susurro de surtidores y fuentes. El alma de Granada, el agua cantarina, es en estos palacios y estancias nazaríes un elemento arquitectónico tan importante como el ladrillo, el mármol o el yeso de atauriques y mocárabes. Cuando el último rey

granadino, Boabdil, es sitiado y derrotado por los Reyes Católicos, en 1491, abandona la ciudad con lágrimas en los ojos: no era debilidad de mujer, como la reprochara su madre, según la leyenda: era el alma de Granada que asomaba por última vez a sus ojos.

Si la herencia nazarí ha sido generosa y potente para Granada, no lo ha sido menos la implantación cristiana. La sombra ancha y cimera de la Alhambra no puede ocultar la algarabía de torres, campanarios, conventos, palacios, hospitales... La pervivencia de elementos culturales tan dispares han hecho del granadino un carácter abierto, tolerante, agónico en el sentido más unamuniano: no es casualidad que fuera granadina Mariana de Pineda, uno de los grandes mitos femeninos españoles, que bordara la bandera de la libertad contra el absolutismo y que por eso mismo fuera ajusticiada en Granada, en su Granada; no es casualidad que fuera granadino el liberal y atormentado Angel Ganivet, el suicida; ni es casualidad que fuera granadino Federico García Lorca y que fuera fusilado en Granada, en su Granada.

Vista de conjunto
de los edificios de la Alhambra.

La Puerta de la Justicia y la fuente ▶
renacentista de Carlos V.

LA ALHAMBRA

Sobre una empinada colina que preside la ciudad, frente al cerro gemelo del Albaicín y separada de él por el curso del Darro, con el telón de fondo de los picachos plateados de la Sierra Nevada, se alza la Alhambra, el Castillo Bermejo (eso quiere decir la palabra árabe, aludiendo a la arcilla roja con que se fabricaron sus muros). El más impresionante, el más bello, el más antiguo y mejor conservado palació árabe del mundo.

El primer rey de la dinastía nazarita, Alhamar, deci-

dió trasladar su corte en 1238 desde el Albaicín, donde se hallaba el principal núcleo de población, a la vecina colina. Los sucesores de Alhamar fueron engrandeciendo y ensanchando este conjunto monumental: Abu Hachach Yusuf I y su hijo y sucesor, Mohamed V, fueron en el siglo XIV los fautores de las principales reformas y construcciones que han llegado intactas hasta nosotros. Un complejo de torres, murallas, palacios y jardines adaptándose a la orografía del terreno e impregnán-

Vista de la Alcazaba, la parte más
antigua de la Alhambra, y las
poderosas torres de la Alcazaba.

◀ La Puerta del Vino.

dolo del más refinado espíritu oriental. Tras la conquista
cristiana, en el siglo XV, siguió siendo Casa Real y aún
se efectuaron algunas construcciones nuevas y reformas.

Tras una ascensión por la Cuesta de Gomérez que es
ya todo un ritual iniciático, remontando las románticas
avenidas de la alameda, por cuyos setos baja inconteni-
ble y dicharachera el agua, el viajero va a enfrentarse a
uno de los conjuntos monumentales más ricos y comple-
jos que imaginarse pueda. La puerta de las Granadas
(siglo XVI) es el primer paso en la iniciación. A la derecha quedan las Torres Bermejas, levantadas en el siglo
XI o XII para reforzar la muralla. Tras cruzar la alameda (se puede hacer en coche) hay que atravesar la Puerta
de la Justicia y posteriormente la Puerta del Vino, para
llegar a la espaciosa Plaza de los Algibes, llamada así
por los depósitos subterráneos que se dispusieron en el
siglo XVI, y que puede servir de centro de operaciones
para organizar la visita a los diversos sectores.

Para seguir un cierto orden cronológico, la visita puede comenzar por la **Alcazaba**, que es, como su nombre indica, un fortín, un auténtico castillo vigía para defender los palacios residenciales de la Alhambra. Entre esta y la Alcazaba hay que cruzar el Jardín del Adarve, un sencillo jardín perfumado agrestemente por el boj en lo que fuera otrora un dispositivo defensivo. El elemento más importante de la Alcazaba es la **Torre de la Vela**, así llamada porque «velaba» sobre la ciudad con su estratégica posición; desde allí se tocaba a rebato en los momentos de peligro y se ordenaba con sus toques el turno de riegos en la Vega. Esta torre es un mirador privilegiado para apreciar este enclave sin par: a lo lejos, las cumbres nevadas de la sierra; abajo, la ciudad vieja apiñada en torno a sus dos colinas y la ciudad nueva, desparramándose y corriendo al encuentro con la Vega; en torno, los palacios y jardines del conjunto. En el centro de la Alcazaba está la Plaza de Armas, en la que se pueden observar restos de pequeñas construcciones de acuartelamientos. Al Albaicín dan la Puerta y la Torre de Armas.

Tras esta visita preliminar podemos ya introducirnos en la intimidad de los palacios residenciales, donde la delicada filigrana del detalle y la más refinada sensuali-

dad constrastan con la aspereza guerrera de los recintos y dispositivos defensivos. El palacio se organiza fundamentalmente en torno a dos patios: el de los Arrayanes y el de los Leones. En torno al Patio de los Arrayanes se desenvuelve la actividad más bien pública y representativa: audiencias, despachos, recepciones. Los aposentos en torno al patio de los Leones poseen un carácter más íntimo y familiar, y en ellos se desarrolla la vida privada de los sultanes.

Dejando a nuestra izquierda los jardines de Machuca, penetramos en la **Sala del Mexuar**, o Sala del Consejo, la que más metamorfosis ha sufrido, transformada por Carlos V y convertida en oratorio en 1629; se conservan no obstante restos de la policromía original, y azulejos y atauriques de tiempos de Mohamed V; los mocárabes de la pequeña capilla del fondo son una restauración reciente. Conviene a propósito de estos arreglos y «restauraciones» (con los que nos estaremos encontrando continuamente en la Alhambra) tener presentes las observaciones que hace Gallego Burín en su clásica «Guía artística e histórica de la ciudad de Granada»: «A pesar de la actual homogeneidad del conjunto de estas construcciones hay sin embargo, entre los últimos palacios diferencias esenciales, pues mientras el de Comares

Sala principal del Mexuar, transformada
en iglesia cristiana durante el siglo XVII.

Pórtico septentrional del Patio del Mexuar.

◄ Vista de la Torre de la Vela,
uno de los miradores más
panorámicos de la Alhambra.

◀ *El magnífico techo del Cuarto Dorado, de madera labrada y dorado.*

Patio de los Arrayanes y torre de Comares, la más alta construcción de la Alhambra con sus 45 metros de altura.

es esencialmente musulmán, el de los Leones presenta anómalas variaciones e influencias de tipo cristiano, sin duda derivadas de las relaciones mantenidas por su constructor, Mohamed V y el rey de Castilla Pedro I. Estas observaciones se hacen a veces difíciles de explicar por el obstáculo que ofrecen en la Alhambra los problemas de cronología, a causa de la frecuencia con que se renovaban sus decorados y de las numerosas restauraciones realizadas desde los tiempos de los Reyes Católicos, primero por artífices moriscos, cuya labor se confunde fácilmente con las obras antiguas, y después prodigadas en los tiempos modernos con mecánica perfección».

Tras atravesar el Patio del Mexuar, con su enlosado de mármol, nos hallamos ante el **Cuarto Dorado**, también llamado del Mexuar, de la Mezquita y de Comares (la toponimia de toda la Alhambra es variable, según las guías, y motivo de bastante confusión). Lo más impresionante de este Cuarto Dorado es la fachada sur, que sin ninguna duda es una de las piezas más interesantes de toda la Alhambra, con sus atauriques y azulejos del mejor momento nazarí.

Dando un pequeño rodeo vamos a salir por fin al celebrado Patio de Comares, más conocido como Patio de los Arrayanes o de los Mirtos (*arrayán* es la palabra árabe equivalente al término grecolatino de *mirto*) o de la Alberca, o del Estanque... El **Patio de los Arrayanes**, que parece bastante mayor de lo que es en realidad (36,5 metros × 23,5) resume todo el equilibrio y serenidad de la arquitectura nazarí, aunque también ha sufrido numerosas manipulaciones arquitectónicas (se destruyeron aposentos en la galería sur para encajar el palacio renacentista de Machuca y, en pleno siglo XIX, una familia de arquitectos, José, Rafael y Mariano Contreras, realizaron tantas y tales modificaciones que, al decir de algunos exagerados — el andaluz siempre tiende a la hipérbole — ¡los Contreras serían los auténticos constructores de la Alhambra! Afortunadamente, los últimos conservadores y restauradores han hecho desaparecer todo lo espúreo y han tratado de devolver su primitiva pureza a estos aposentos).

El patio se ve dominado por la imponente masa de la **Torre de Comares**, que pertenece al cordón amurallado del recinto y que con sus troneras y almenas y su mole formidable pone un aire grave y guerrero, subrayando así el carácter «público» y oficial de este sector del Palacio. Un airoso pórtico que se duplica frágilmente en la superficie de la alberca da paso a la **Sala de la Barca**,

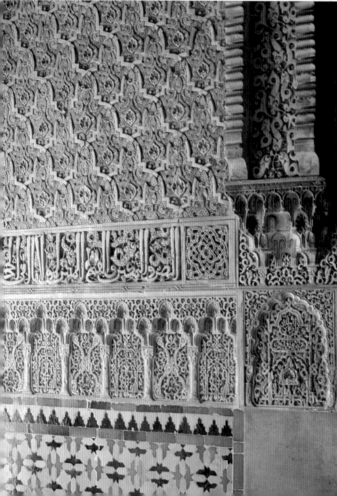

cuya denominación se debe, no al artesonado de cedro en forma de quilla, sino a una corrupción del término árabe *baraka* (bendición divina, suerte). El techo de esta sala desapareció en un incendio en 1890 y hubo de ser totalmente rehecho. Esta pieza servía de antecámara para el **Salón de Embajadores**, el más amplio de palacio, que hacía las veces de salón de trono donde el emir recibía a los emisarios extranjeros. Esta sala cuadrada, de más de 11 metros de lado, alcanza una altura de casi veinte. En los laterales exentos de la sala se abren tres balcones, el central geminado, y sobre ellos dejan filtrarse la luz ventanas con celosías de madera, perdidas en una selva de grafismos y lacerías. Desde estos balcones se tiene una de las mejores vistas sobre la alameda que desciende hasta el curso del Darro. La decoración de esta pieza es un prodigio de alicatados, yeserías de lazo, ataurques, mocárabes, etc., que producen con su policromía y su maraña de geometrismos una especie de hipnotismo nirvanático en quien se detiene a contemplarlos. Este salón, según una dudosa tradición, habría sido el escenario en que se firmaron las capitulaciones para que el rey moro Boabdil el Chico entregara la ciudad a los Reyes Católicos, acampados con sus huestes en Santa Fe (en realidad, fue en esta población donde se firmó la rendición). Otra leyenda no menos áulica afirma que fue aquí donde la reina Isabel ofreció sus joyas a Colón para financiar la aventura del descubrimiento. Amén de otras historias y leyendas protagonizadas por Boabdil y su madre...

Volvamos de nuevo al Patio de los Arrayanes y miremos hacia nuestro frente: otro pórtico gemelo se refleja en el cabo opuesto de la alberca; en los aposentos que se hallan encima se encontraría alojado, según algunos, el *harem* del monarca.

Cuatro imágenes del Salón de Embajadores con su rica decoración de mármol y azulejos. Abajo, a la derecha, la Torre del Peinador.

En estas páginas, tres vistas del Patio de los Leones, cuya gran celebridad lo ha convertido en el símbolo de la Alhambra.

En las dos páginas siguientes, ▶ otros dos detalles del Patio de los Leones.

Por el flanco opuesto al que cruzamos para entrar en el Patio de los Arrayanes, una pequeña salida nos conducirá al otro bloque o sector de palacio, al más íntimo y privado. El **Patio de los Leones** es el oasis magnífico y humanizado en torno al cual se abren las diferentes salas. Las finas columnas de mármol blanco se multiplican gratuitamente como gráciles palmeras y se adelantan hacia la fuente central, cuyas aguas se fragmentan y dispersan llevando los reflejos de la luz a la penumbra de los aposentos. Son 124 columnas, a veces agrupadas en parejas o incluso en grupos de tres o cuatro, como en los templetes. Los capiteles, a pesar de su elegante y estilizada similitud, son todos diferentes. Los mocárabes de los templetes enfrentados constituyen una magnífica labor de carpintería y contribuyen, junto con las columnas, a dar esa sensación de «palmeral», de oasis, que, por más que resulte tópico, tal vez sea la imagen que mejor refleja el espíritu elegante y sereno de este singular patio, uno de los más pequeños (28×15 metros, apenas 441 metros cuadrados) y sin embargo uno de los más conocidos y célebres del mundo.

Los doce leones, arcaicos y estilizados, que sustentan la taza con sus lomos son, sin embargo, algo tardíos

Otros tres detalles de la
decoración del Patio
de los Leones.

*Dos vistas de la Sala
de los Abencerrajes. A la derecha,
el arco de la Sala de los Reyes.*

(siglo XVI), pero la taza en sí es una magnífica pieza varios siglos anterior. En su borde, existe un fragmento de la *casida* dedicada por el poeta Zemrec a Mohamed V, grabada en el mármol y donde se dice, entre otras cosas: «¿Por ventura este jardín no nos ofrece una obra cuya hermosura quiso Dios que no tuviera igual?». La fuente ha recobrado ahora su aspecto primitivo, lo mismo que el templete oriental, pues en el siglo XVII se había añadido una segunda taza a la fuente y aun un tercer cuerpo en 1838, y al templete se le había encasquetado una cúpula un tanto fantasiosa y chirriante.

En el extremo por el que hemos sorprendido la intimidad de los sultanes, es decir, viniendo del serrallo, por el oeste, se encuentra la **Sala de los Mocárabes**. El nombre lo debe a la labor de yesería de su bóveda, aunque desaparecida en una explosión en 1590 y rehecha en el siglo XVII (hoy quedan como muestra parte de la primitiva y parte de la que se hizo para sustituirla). Por tres arcos, también de mocárabes que gotean como sauces, se accede al patio.

Al lado derecho, es decir, por el sur, la **Sala de los Abencerrajes** arropa sombríos recuerdos: en efecto, según una leyenda borrosa, allí hizo degollar el monarca reinante (no se sabe bien si Mohamed, Muley Hacen o Boabdil) a la flor y nata de la célebre estirpe granadina de los Abencerrajes. Según la tradición, las manchas ferruginosas que recostran el mármol de la fuente serían debidas a la sangre de aquellos burlados guerreros, sacrificados uno a uno según entraban en la sala.

Al fondo, es decir, en el extremo opuesto a la sala de los Mocárabes, se encuentra la **Sala de los Reyes**, o Sala del Tribunal, o de la Justicia. Se divide esta pieza en tres partes que se corresponden con los tres arcos de entrada, formando compartimentos cubiertos por cúpulas de mocárabes, con ventanillas de arco dispuestas en sus arranques.

En los extremos de la sala se abren alcobas en las que se halla la mayor curiosidad de esta pieza: se trata de unas pinturas sobre cuero forrando las cúpulas de madera. No es que sean de gran calidad, pero resultan muy

interesantes por la escasez de representaciones figurativas en todo el recinto de la Alhambra. Según afirma Gallego Burín «mucho se ha discutido sobre estas pinturas, de cuya estirpe cristiana no es posible dudar». En efecto, datan del siglo XIV y probablemente fueron ejecutadas por artistas cristianos procedentes de Sevilla; algunos incluso aventuran que el artista podría tener origen o formación toscana, dado el sabor italianizante de estos óleos representando a los sultanes y sus antepasados.

En el otro lateral, por último, la **Sala de las Dos Hermanas**, una de las más barrocamente bellas de todo el conjunto y que debe su nombre a las dos grandes losas gemelas de mármol blanco que se encuentran en el centro de la habitación, enmarcando la fuente interior. Estos aposentos constituían al parecer la residencia de la Sultana y de sus parientes, y en ellos se recluían las

*La cúpula a mocárabes
de la Sala de las dos Hermanas.*

*Bella perspectiva de la Sala de
los Reyes o Sala de la Justicia.*

*Una de las pinturas del techo de la Sala de los Reyes, de
luminosas colores que se dirían de una miniatura persa.*

Detalle de la decoración de la sala de las Dos Hermanas, una de las más suntuosas de todo el palacio.

Uno de los balcones gemelos de la Sala de los Ajimeces.

*El exquisito Mirador de Daraxa (o Lindaraja),
con su bellísima decoración de estuco sobre las
paredes, similar al marfil incrustado.*

*Vista desde lo alto del recogido
y poético Jardín de Lindaraja.*

esposas oficiales con sus hijos al ser repudiadas por el monarca. Los zócalos de azulejo, la policromía de los estucados y los mocárabes de la cúpula dan a este aposento toda la recargada suntuosiad de un joyero. La sala, construida durante los últimos días del reinado de Mohamed V, posee dos salitas a los lados, una llamada Sala de los Ajimeces, y el romántico balcón o Mirador de Daraja.

La **Sala de los Ajimeces**, así llamada por dos balcones gemelos que dan al jardín (y que no son precisamente «ajimeces», pues el ajimez es un mirador velado y cerrado con celosías), se halla cubierta con una preciosa techumbre de mocárabes labrada sin embargo en época tardía (siglo XVI).

El **Mirador de Daraja** o Daraxa debe su apelativo a la expresión árabe «l'ain dar aixa», es decir, «los ojos de la casa de la sultana»; sin embargo, una de las muchas leyendas vinculadas a estos palacios querría que el nombre le viniera de Lindaraja, hija del alcaide de Málaga para quien habría sido construido este derroche de romántica fantasía.

La belleza de este lugar es doblemente subyugante si tenemos en cuenta que está conseguida a base de elementos tan humildes y ruines como el yeso, el ladrillo,

*La preciosa decoración policroma
del* hamman *o cuarto de baños.*

la cerámica... pero también con la luz, la sombra, el agua, el paisaje y sobre todo, la imaginación. En las paredes se hallan labrados algunos versos que son una ensimismada reflexión sobre tanta belleza: «He llegado a reunir todas las bellezas, en términos que de ellas toman su luz los astros en el alto firmamento». Y otro verso que alude tal vez a la magia de unos materiales efímeros, pero sabiamente aprovechados: «Cuando el que mira contempla atentamente mi hermosura engaña la mirada de sus ojos con una apariencia».

Antes de que este jardín quedara cerrado por el cuerpo de edificación de Carlos V, las vistas no sólo alcanzaban al actual jardín recoleto, sino que se extendían pró-

digamente a todo el valle del Darro y al Albaicín.

En el ángulo de intersección que forman los dos bloques esenciales de la Alhambra, el Palacio de Comares y el Cuarto de los Leones, se encuentra, a distinto nivel, el *hamman* o **sala de baños**. Para llegar a ellos es preciso descender al Patio de la Reja o de los Cipreses, tras cruzar las habitaciones de Carlos V.

Estos apartamentos fueron construidos cuando el Emperador tenía la intención, al parecer, de hacer de Granada la capital de sus dominios, pero no llegó a utilizarlos. Sí utilizó, en cambio, cuatro de estas habitaciones el escritor norteamericano Washington Irving, quien en 1829 aboceto aquí sus románticos «Cuentos de la Al-

Blancas casas del Albaicín, vistas desde uno de los numerosos miradores.

Sala de reposo de los Baños Reales, con cuatro columnas que sustentan la parte central y una delicada decoración de mosáicos de mayólica sobre las hornacinas de las paredes. ▶

hambra» (en 1959, al conmemorarse el centenario de Irving, se ambientaron las piezas al estilo romántico). Estas habitaciones se construyeron sobre el jardín y muro de la Torre de Abul Hachach, convirtiéndose la propia muralla y la torre en **Galería del Tocador** y **Tocador de la Reina** (o Peinador, o Mirador de la Reina), ya que se destinaban a la emperatriz Isabel, la esposa malograda de Carlos V. El Peinador y la Galería son, en efecto, un mirador privilegiado sobre el Albaicín; las pinturas que decoran la torre son de dos discípulos de Rafael, Julio Aquiles y Alejandro Mayner.

Los **Baños**, aunque datan de la época de Yusuf, sufrieron profundas y dudosas «restauraciones» en el siglo XIX (por obra y gracia del ya mencionado Contreras). Encontramos, en primer lugar, la Sala de las Camas, en la cual, desde el piso alto, el monarca podía contemplar la salida del baño de sus mujeres y arrojar una manzana a la favorecida por su deseo.

Lo que son propiamente las salas de baños ofrecen una arquitectura sencilla, sin más ornamentación que los zócalos de azulejo. Pero son, por contra, estas piezas las que menos alteración han sufrido.

Comunicado con los Baños se halla el **Jardín de Lindaraja** (o de Daraxa, o de los Naranjos, o de los Mármoles). Este patio no es árabe, sino obra de los arquitectos de Carlos V, y debió sustituir a una terraza o jardín que sirviera de fondo al Mirador de las Dos Hermanas. Pero sí hay algo árabe en este rincón umbrío y silencioso; se trata de la fuente, cuya taza fue traída aquí desde el Mexuar y colocada sobre un fuste dentro de otro pilón renacentista. En el borde de esta taza se halla escrito un poema en recuerdo de Ben Nasar que dice, entre otros versos: «Soy un grande océano cuyas riberas son labores selectas de mármol escogido y cuyas aguas en forma de perlas corren sobre un inmenso hielo primorosamente labrado».

*Cuatro imágenes de los Jardines del Partal,
con los cinco arcos que se reflejan en las aguas quietas
de la balsa. Bellísimo, el techo interno
del Partal, de madera labrada.*

Desde el jardín de Lindaraja se puede iniciar un interesante recorrido de las murallas y torres que cierran el recinto hasta enlazar con la Puerta de la Justicia, por la que penetramos al principio. Atravesamos primeramente los **Jardines del Partal**, dispuestos en época reciente sobre los solares de las viviendas de militares y criados al servicio de palacio, y sus huertas y ruzafas. Encontramos, como recostada junto a un apacible estanque, la Torre de las Damas, con su pórtico albergando un rico artesonado. Este pórtico es el que da nombre a los jardines (*partal* significa precisamente pórtico). Los leones que montan apacible guardia en el borde de la alberca fueron traídos aquí al demoler, en 1843, el Hospital de locos e inocentes (por cierto, una institución que demuestra el grado de civilización y humanidad racionalista alcanzado por la Granada islámica, cuando en los países cristianos la locura era todavía cosa del diablo). Tras las palmeras que se reflejan en el estanque hay tres viviendas de tiempos de Yusuf, en una de las cuales existen unas interesantísimas pinturas árabes descubiertas en 1907, que son únicas en la España musulmana y contradicen la teoría vulgar de que el Corán prohibía expresamente la representación de seres vivos. Estas escenas de cacerías y animales fantásticos junto a músicos, cantores y guerreros, guardan una estrecha relación con las iluminaciones de manuscritos persas del siglo XIII.

Más allá, junto a la Torre del Mihrab, hay una pequeña mezquita de la época de Yusuf I que debió servir de oratorio para los inquilinos de este sector. Luego viene la Torre de los Picos, defendiendo la Puerta de Hierro, luego la Torre del Cadí, más allá la torre de la Cautiva, decorada en tiempos de Yusuf y en la que según la leyenda vivió cautiva doña Isabel de Solís, la cristiana favorita de Muley Hacen; un texto grabado en las yeserías resulta significativo: «Detente y observa cómo cada figura tiene otra figura de la cual procede y con la cual se combina primorosamente». Luego está la Torre de las Infantas, en recuerdo de las legendarias Zaida, Zoraida y Zorahaida, creadas por Washington Irving), donde ya se deja notar la decadencia del arte nazarita.

No debemos olvidar que, tras la conquista cristiana, la Alhambra siguió siendo Casa Real. También los reyes cristianos dejaron su impronta, si bien discutibile y discutida de antiguo, en este amplio conjunto monumental.

30

*Vista desde lo bajo de la
cúpula de la Torre de la Cautiva.*

PALACIO DE CARLOS V

El palacio de Carlos V fue empezado por Pedro Machuca en 1526, en el estilo entonces imperante en la Italia renacentista. A su muerte, en 1550, fue su hijo Luis quien prosiguió los trabajos, que se vieron paralizados en el siglo XVII, quedando el palacio inacabado (¡fue Franco quien lo acabó!).

Se trata de una construcción atípica dentro de la tradición española y que acusa la fuerza de la moda italianizante en tiempos del emperador. «Una de las más nobles creaciones de la arquitectura de pleno Renacimiento y tal vez la más hermosa que pueda hallarse fuera de Italia» (Gallego Burín). Además, contra lo que algunos piensan, Machuca no destruyó ningún edificio árabe, sino que aprovechó parte de la *rauda* musulmana o cementerio real. Sobre un amplio cuadro de más de sesenta metros de lado, se inscribe un patio circular con dos pisos de galerías sostenidas por columnas, dóricas abajo, jónicas arriba. Por el lado de la Plaza de los Aljibes y de la Puerta de la Justicia, presenta dos bellas portadas, adornadas la primera con relieves de Juan de Orea y Antonio de Leval (parte inferior) y de Juan de Mijares (parte superior) y la segunda con esculturas de Nicolao

La robusta fachada del palacio de Carlos V
y el vasto atrio circular interno,
con columnas dóricas en la galería inferior,
y jónicas en la superior.

*Vista de conjunto del atrio
circular del Palacio de Carlos V con
dos pisos de galerías sostenidas
por columnas.*

da Corte. En el ángulo más próximo al Patio de los
Arrayanes, una capilla octogonal quedó sin rematar por
la proyectada cúpula.

En este palacio se alojan el **Museo de Arte Hispano-
musulmán** y el **Museo de Bellas Artes**. El primero guar-
da algunas colecciones de capiteles, ataurices, maderas
talladas, cerámica y diversos vestigios recogidos durante
las excavaciones llevadas a cabo en la Alhambra. Una
de las piezas más destacables de esta colección es el
llamado *«vaso de la Alhambra»*, uno de los mejores y
más raros ejemplos de cerámica hispanoárabe del siglo
XIV, con adornos e inscripciones en azul y oro sobre un
fondo lechoso.

El Museo de Bellas Artes alberga sobre todo una rica
colección de pintura y escultura en la que destacan las
tallas y telas de los artistas granadinos.

De entre los diversos artistas aquí representados destacan sobre todo dos puntales de la escuela granadina.
El primero de ellos es Juan Sánchez Cotán (1560-1627),
quien, aunque originario de la provincia de Toledo y
formado en aquella ciudad, se hizo cartujo en 1603 y
vivió en la Cartuja de Granada, trabajando allí hasta su
muerte en pinturas para el refectorio, claustro y celdas
del monasterio; su peculiar tenebrismo debió inspirar
sin duda a Zurbarán, con el que comparte el honor de

Bella escultura al ingreso del Museo de Bellas Artes.

*Escorzo de la sala dedicada al pintor
Pedro Anastasio Bocanegra, con la Historia de María.*

*La sala llamada de la "chimenea italiana",
con una chimenea del siglo XVI en la pared del fondo.*

*Escorzo de la sala dedicada al pintor ▶
Sánchez Cotán, y la sala dedicada a Alonso Cano,
pintor del siglo XVII y mayor exponente
de la escuela granadina.*

ser uno de los máximos artífices de naturalezas muertas al estilo español, es decir, llenas de simplicidad y sobriedad, en brusco contraste con la exhuberancia y desbordamiento sensual de los bodegones entonces en boga en la pintura flamenca e italiana.

El otro gran artista, que tiene aquí una sala exclusiva, granadino de nacimiento, es Alonso Cano (1601-1667), Arquitecto, pintor y escultor, nació en Granada, trabajó en Sevilla y en la Corte madrileña (a la que había sido llamado por el Conde-Duque de Olivares). Tras haber perdido a su segunda esposa, asesinada en 1664 en misteriosas circunstancias, se retiró a la cartuja valenciana de Porta Coeli y acabó sus días solitario y pobre. Es tal vez en sus tallas donde mejor se traduce su fuerte personalidad, aunque también su pintura tenebrista fue estimada por sus contemporáneos, pese a ir contracorriente de la opulencia italiana o flamenca de la plástica de su tiempo.

Hay además buenas piezas de otros muchos pintores y escultores españoles, entre los que cabe mencionar a Roberto Alemán, Iacopo l'Indaco, Diego de Siloé, Juan de Maeda, Juan de Orea, Vicente Carducho (italiano aclimatado al país y seguidor de Sánchez Cotán), Pedro de Moya, Pedro Anastasio Bocanegra... Este último, a quien se dedica una sala, posee una fina sensibilidad y se inspira de cerca en las formas de Alonso Cano. Pedro de Mena también está representado con cuatro imágenes de gran tamaño que realizó en colaboración con Alonso Cano y que se encuentran en la sala a este último consagrada. En el **salón de la Chimenea Italiana**, que debe su nombre a la chimenea del siglo XVI, en mármoles de diverso color, comprada en Génova en 1546 para decorar el palacio de Carlos V, se exhiben otras interesantes pinturas de los siglos XVI y XVII, así como tapices, muebles y armaduras de la misma época.

JARDINES DEL GENERALIFE

Dominando el conjunto de la Alhambra se encuentran los jardines del Generalife (la palabra podría significar precisamente «jardín elevado o huerta excelsa», pero también «jardín del arquitecto», *genna-alarif*), que fue la huerta de recreo de los reyes nazaritas. Posee algunas construcciones de arquitctura muy simple, desde donde se divisa un amplio panorama de la ciudad y de la Vega, con la Alhambra en primer término. Pero el interés del Generalife no reside en su arquitectura precisamente, sino en sus jardines, en los que flota toda la delicadeza y sensualidad que tan bien supo condensar otro andaluz universal, Manuel de Falla, en sus «Noches en los jardines de España». Precisamente en un magnífico escenario natural cerrado por cipreses se celebran cada verano algunas sesiones del ya clásico Festival Internacional de Música y Danza.

Tres hermosas imágenes de los Jardines del Generalife, con el estrecho canal flanqueado de surtidores de agua, rosales, naranjos y cipreses: un oasis de tranquilidad, paz y silencio.

Vista desde lo alto de la maciza
mole de la Catedral.

Fachada de la Catedral, erigida por Alonso Cano ▶
sobre un proyecto, parcialmente
modificado, de Diego de Siloé.

Vista del ábside de la Catedral. ▶

La Puerta del Perdón, con su riquísima ▶
decoración barroca.

LA CATEDRAL

El episodio de la «reconquista» cristiana del suelo patrio a los moros debió pesar en los espíritus de la época de una manera sólo comparable a las nuevas perspectivas que abría la casi coetánea aventura del Descubrimiento. Es por ello comprensible que los Reyes Católicos, los que «cerraban» el proceso de unificación histórica y sentaban las bases de un estado moderno, abierto ahora a nuevos mundos, eligieran simbólicamente Granada como lugar para su postrer reposo. Siguiendo su ejemplo, familias e instituciones cristianas sembraron

Granada de monumentos de primer orden, que sólo el destello señero de la Alhambra alcanza a paliar y a sustraer a la atención del viajero apresurado.

El más ilustre de estos núcleos cristianos es, claro está, el conjunto catedralicio, con la Capilla Real proyectada como mausoleo de los reyes, el Sagrario, la Lonja de Mercaderes y otros edificios que completan su escenografía, como el Palacio Arzobispal, el Palacio de la Madraza o Cabildo Antiguo, etc.

La catedral fue iniciada en estilo gótico a partir de

◄ *Vista del lujoso interior de la Catedral,
dominado por el contraste entre el oro de la decoración
y el blanco de los elementos arquitectónicos.*

*Vista delantera de la Pueta del Perdón
y, en las páginas siguientes,
el interior de la Catedral.*

1523 por Enrique de Egas, pero fue Diego de Siloé quien impuso finalmente su impronta renacentista, con cinco naves de airosas perspectivas. Fue consagrada en 1561, pero los trabajos se prosiguieron hasta 1703. La fachada fue diseñada por el granadino Alonso Cano y enriquecida, en pleno siglo XVIII, con relieves de J. Risueño y L. Verdiguier. De las varias puertas del templo cabría destacar la de San Jerónimo, obra de Siloé y la del Colegio Eclesiástico, que comporta un bajorrelieve del mismo Siloé.

La **capilla mayor** es una de las más esplendorosas de España, con estatuas de Alonso de Mena (*Apóstoles*) y Pedro de Mena (*estatuas orantes de los Reyes Católicos*) y pinturas de Juan de Sevilla, Bocanegra y Alonso Cano. Las vidrieras de la cúpula fueron ejecutadas por Juan del Campo según diseño de Siloé. Los órganos de trompetería son del siglo XVIII y las pinturas de los altares del transepto son asimismo de Juan de Sevilla y Bocane-

gra. Abundan en este templo y sus capillas las piezas dignas de retener la atención del visitante, debidas a artistas tan notables como el prodigado Alonso Cano, Ribera, Martínez Montañés... Pero la joya indiscutible de todo el conjunto catedralicio es sin duda la Capilla Real.

Construida en estilo gótico florido por Enrique de Egas entre 1505 y 1507, para alojar los despojos de los Reyes Católicos, enterrados solemnemente en ella en 1521, la **Capilla Real** se halla cerrada por una espléndida *reja*, buena muestra del arte hispano de la rejería, obra de Bartolomé de Jaén (1518). La *tumba de los reyes*, en mármol de Carrara, es una obra maestra de Domenico Fancelli. Más tarde se trajeron también los restos de la hija de los reyes, doña Juana la Loca, y de su malogrado esposo Felipe el Hermoso, cuyo sepulcro es obra de Bartolomé Ordóñez (1526). En el altar mayor sobresale el *retablo* de Iacopo l'Indaco, con esculturas de

43

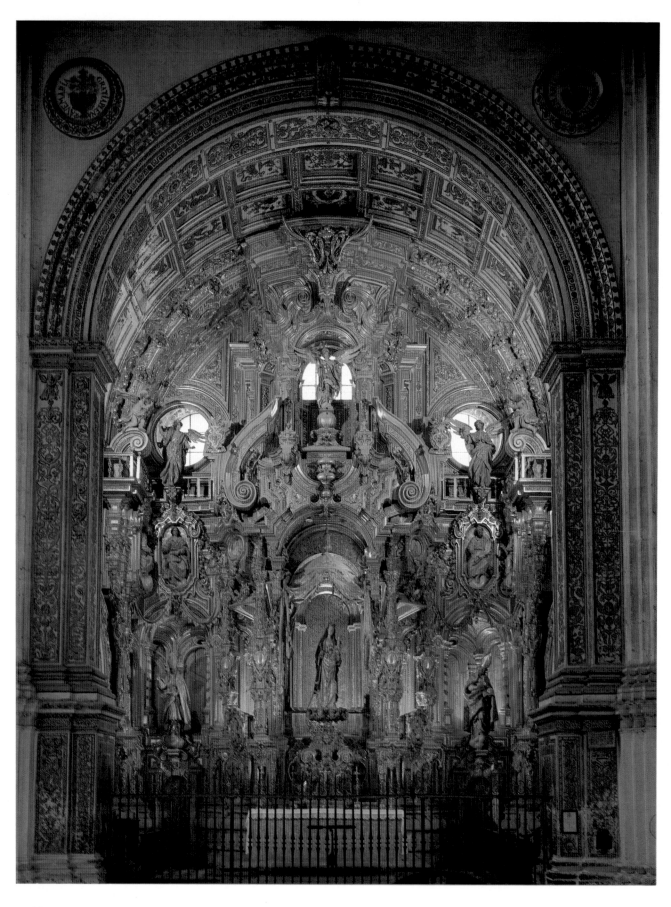

Entrada externa de la Capilla Real,
de estilo gótico, que acoge los restos mortales
de los Reyes Católicos.

La Capilla Dorada
al interior de la Catedral.

En las dos páginas siguientes, el retablo plateresco
del altar mayor, las estatuas orantes
de los Reyes Católicos y, bajo la cripta,
los sencillos sarcófagos reales.

Tras las espléndidas verjas de hierro forjado,
el mausoleo de los Reyes Católicos, Fernando e Isabel,
esculpido por el florentino Domenico Fancelli
en mármol de Carrara. Al lado, la tumba de Felipe
el Hermoso y Juana la Loca, de B. Ordóñez.

El interior de la sacristía, auténtico museo ▶
de pintura flamenca.

Maestro de la Sangre: Piedad. ▶

Felipe de Borgoña y relieves que representan escenas de la toma de Granada y conversión masiva de los moros. En el transepto, el *altar* llamado *del relicario* es obra de Alonso de Mena (1632). En el brazo izquierdo, una pieza destacadísima de Dierik Bouts, un *tríptico* de vivo colorido y estilizadas figuras que se cuenta entre la mejor producción de su autor. Debajo, en la cripta, impresiona la desnudez lúgubre de los sarcófagos de plomo, que sólo contienen vanidad de vanidades: en efecto, fueron saqueados y vaciados durante las guerras contra los franceses de Napoléon.

La *sacristía* de la capilla Real es uno de los museos cualitativamente más importantes de la ciudad. Destacan allí, sobre todo, las tablas de Dierik Bouts, R. van der Weyden (*Nacimiento y piedad*), el *tríptico del Descendimiento*, obra de Hans Memling, un pequeño Botticelli (*Cristo en el huerto de los Olivos*), algunas tallas de Alonso Cano, otras piezas de pintura flamenca y de orfebrería sacra...

El **Sagrario** de la catedral es una elegante construcción de traza renacentista, pero llevada a cabo de 1705 a 1759. En él cabe destacar la pila bautismal renacentista realizada por Francesco l'Indaco. La **Lonja de Mercaderes**, junto a la Capilla Real, es de estilo plateresco y fue construida en 1518 por Juan García de Prades. En el Palacio de la Madraza, antigua universidad árabe (el nombre sería una corrupción de «medersa»), estuvo instalado el primer Ayuntamiento o Cabildo de Granada.

LA ALCAICERIA

Junto al Palacio Arzobispal, ante la popular plaza de Bibarrambla, la Alcaicería, antiguo bazar árabe de la seda invadido ahora por el comercio turístico, nos recuerda, en este nucleo cristianísimo, la pervivencia insoslayable del espíritu morisco, lo mismo que el llamado Corral del Carbón, en las calles próximas, y que es el único ejemplo de *fondouk* o fonda árabe en Europa.

El Tríptico de la Pasión, una de las mejores obras de Dirk Bouts.

El típico bazar de la Alcaicería, reconstruido en estilo mudéjar a finales del siglo pasado.

PASEOS POR GRANADA

Pero estos dos núcleos principales, musulmán y cristiano, Alhambra y catedral, no agotan la riqueza monumental de la ciudad. Será necesario realizar varios paseos para descubrir otra serie de monumentos que, si parecen permanecer en un segundo plano, es sólo por el destello señero de esos dos núcleos principales.

Un primer paseo nos llevaría a la **Universidad**, fundada en 1526 e instalada posteriormente en un colegio jesuita del XVIII. Junto a la universidad, la iglesia renacentista de S. Justo y Pastor y el Colegio Mayor de S. Bartolomé y Santiago, ambos del XVI. Pero lo que más ha motivado este primer paseo nuestro por esta zona son dos iglesias cercanas: la **iglesia de S. Jerónimo**, levantada por Siloé para albergar la sepultura de Gonzalo de Córdoba, el Gran Capitán, con dos patios a caballo del gótico y renacimiento, y la **iglesia de S. Juan de Dios**, uno de los mejores logros de la arquitectura barroca granadina, con su fachada decorada de bajorrelieves y estatuas. Junto a ella, el **Hospital de S. Juan de Dios** cobija una monumental escalera en uno de sus patios.

La iglesia de San Jerónimo.

Fachada de San Jerónimo y retablo renacentista.

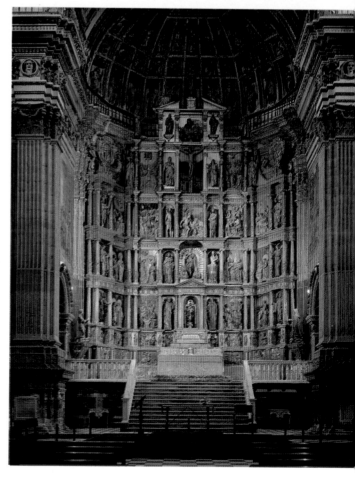

La escalera ▶
del Hospital de San Juan de Dios.

Fachada con torres de la basílica
de San Juan de Dios. Abajo, el
suntuoso interior de la basílica.

La Plaza Isabel
la Católica con el monumento
dedicado a la reina.

◀ La Plaza Nueva y
la fuente de la Puerta Real.

La sencilla y austera fachada de la Cartuja.

"Coro de Legos" al interior de la Cartuja, ▶
con pinturas de Sánchez Cotán.

La suntuosa y exuberante decoración ▶
de la sacristía, obra de Luis de Arévalo.

LA CARTUJA

Desde el mirador de San Cristobal nos podemos encaminar a otro de los grandes centros de interés granadinos, lo que ha llegado a llamarse «la Alhambra del barroco»: la Cartuja. Fundada en 1516 por Fernando Gonzalo de Córdoba, «el Gran Capitán», sólo conserva la iglesia, la sacristía y el claustro con algunas de sus dependencias anexas. Tras atravesar la portada plateresca y una gran escalera, llegamos a una especie de zaguán donde encontramos los primeros lienzos de Sánchez Cotán (que, como ya dijimos, fue monje en esta cartuja) en sendos altarcitos. Luego visitamos el coro, con la sillería para los monjes y una decoración profusa. Enfrente, el presbiterio presidido por una *Asunción* bajo un baldaquino. La nave está rodeada por una serie de cuadros de Bocanegra (entre los que destaca una *Concepción* antes atribuída a Alonso Cano) y otros cuatro lienzos de Sánchez Cotán, con la mística simplicidad que caracteriza la personalidad del fraile pintor. Por detrás del altar se penetra en el Sancta Sanctorum o **Sagrario** de la iglesia, camarín realizado por Francisco Hurtado Izquierdo en el primer cuarto del siglo XVIII y con una decoración churrigueresca efusiva, desbordante.

El tabernáculo está formado por un baldaquino sobre columnas salomónicas cubriendo el templete que sirve de sagrario. Las esculturas son obra de Jose Risueño y Duque Cornejo. La misma agitación que parece retorcer las columnas del baldaquino recorre y eriza la decoración toda de este recinto, sin permitir descanso a la vista. En la cúpula que cubre el conjunto, pintada al fresco por Palomino y Risueño, reina esa misma agitación, como si el soplo del Espíritu Santo central batiera las alas de los ángeles ingrávidos y las ropas de santos y bienaventurados.

*El lujoso altar mayor
con baldaquín de la Cartuja.*

*El refectorio, con las historias de San Bruno
de Sánchez Cotán, es una de las pocas
partes que se han conservado del antiguo
monasterio del siglo XVI.*

Este recargamiento decorativo de la Iglesia y del Sagrario se convierte en paroxismo cuando, por una puerta a la derecha, penetramos de pronto en la **Sacristía**, obra churrigueresca de Arévalo y Cabello. Aquí todo, columnas, cornisas, zócalos, capiteles, bóvedas y hasta el mismo suelo, parece vibrar con una agitación incansable. Lo que en las yeserías árabes de la Alhambra era puro geometrismo ordenado y repetitivo, con un predominio contenido de la recta, es aquí un desbordamiento curvo y vegetal que parece luchar para hacer desaparecer cualquier atisbo de arista, de recta, de plano, de superficie o línea tranquila. Todo es aquí pathos, agitación. Como bellamente afirma Pemán «estamos ante una sinfonía de mármoles de Lanjarón, piedra tallada,

espejitos, yesos con blandura de crema, taraceas de plata, marfil, concha, ébano y palosanto. Es como un inmóvil terremoto arquitectónico...»

Es difícil, por otro lado, no pensar en el parentesco de este abigarramiento con las ornamentaciones cristiano-criollas de las iglesias de Hispanoamérica. En cambio, en el refectorio, junto al claustro, se impone la austeridad desnuda de las bóvedas góticas cobijando las escenas simples y candorosas de la *vida de San Bruno*, pintadas por Sánchez Cotán. La imagen de este santo fundador de los cartujos, que durante un tiempo se atribuyó a Alonso Cano, es en realidad obra de Mora y, según la conocida broma de todos los guías en todas las cartujas, si no habla es porque es cartujo...

Dos imágenes del barrio del Albaicín.

En el barrio del Albaicín quedan todavía
los Baños Arabes, con capiteles
romanos y visigodos del siglo XI.

El barrio del Albaicín. ▶
En las cuevas del Albaicín, típicas casas
excavadas en la montaña, se puede asistir
a las fiestas gitanas de las gentes del barrio.
La cueva de Zambra, una de las más célebres.

ALBAICIN

Otro recorrido obligado por Granada es el que nos
llevará a la altura gemela de la Alhambra, el Albaicín,
donde estuvo el primitivo núcleo morisco colonizado
por árabes procedentes de la ciudad de Baeza (de ahí el
nombre, *Rabad al Baecin*). Después de la conquista cristiana, los moriscos se agruparon en este reducto hasta
que, tras la revuelta de navidad de 1568, hubo una ma-
tanza y fueron expulsados en su mayoría. El barrio conserva, no óbstante, su sabor morisco, lleno de pintores-
quismo. Recorriendo sus calles empinadas, se llegan a
descubrir plazuelas recoletas, patios cuajados de flores,
casas de sabor moruno, iglesias y monumentos importantes. Habría que recomendar sobre todo, la *iglesia de
S. Nicolás*, desde cuya terraza se puede abarcar uno de
los más bellos panoramas de la Alhambra, y la cercana
iglesia de San Salvador, mudéjar, levantada sobre el so-
lar de una antigua mezquita. Otro mirador privilegiado
es el que se halla aledaño a la *Iglesia de San Cristóbal*,
con una interesante panorámica sobre la Alcazaba Cadi-
ma y su recinto, levantado en el siglo XI sobre restos de
muralla visigoda. Uno de los motivos que más llaman la
atención de los turistas es el Bañuelo, **baños árabes** más
toscos y descuidados que los que ya vimos en la Alhambra, pero que tienen la particularidad de haber aprove-
chado para sus columnas capiteles visigodos e incluso
romanos, junto a los de factura netamente arábiga. «La
construcción parece datar del siglo XI y son sin duda
los más viejos, importantes y completos baños públicos
árabes conservados en España y de las obras más antiguas de la Granada musulmana» (Gallego Burín).